Para Elizabeth y Amy Dale,
con cariño y en recuerdo
de todas nuestras escapadas canadienses
en busca de terroríficos osos.
Y para Louise Bolongaro,
mil gracias por tus maravillosos consejos.
E. D.
Para mi Papá Oso de la vida real, John Nigel.
P. M.

Gerencia editorial: Gabriel Brandariz
Coordinación editorial: Iria Torres

Título original: *Nothing Can Frighten a Bear*
Traducción del inglés: Patrycja Jurkowska
Publicado por acuerdo con Nosy Crow Limited

© del texto: Elizabeth Dale, 2017
©de las ilustraciones: Paula Metcalf, 2017
© Ediciones SM, 2017
Impresores, 2 - Parque Empresarial Prado del Espino
28660 Boadilla del Monte (Madrid)

ATENCIÓN AL CLIENTE
Tel.: 902 121 323 / 912 080 403
e-mail: clientes@grupo-sm.com

ISBN: 978-84-675-9418-8
Depósito legal: M-6260-2017
Impreso en China / *Printed in China*

Nada puede asustar a un oso

Texto de Elizabeth Dale

Ilustraciones de Paula Metcalf

sm

En lo más profundo del bosque, bajo el resplandor de la luna,
Bebé Osito sueña tranquilo y se acurruca bien en la cuna…

Papá Oso y Mamá Osa suspiran.

A su lado, Ana y Blas dormitan.

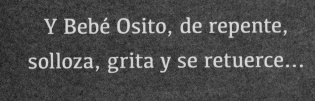

Y Bebé Osito, de repente,
solloza, grita y se retuerce...

despertándose entre gemidos
al oír un fuerte...

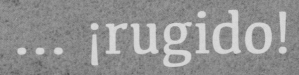

... ¡rugido!

–¡Socorro! –grita asustado–. ¡Hay un **monstruo** ahí fuera!

Viene a por mí, estoy seguro. ¡Sálvese quien pueda!

–Tranquilo, pequeño mío, no hay por qué sufrir.

Los monstruos no existen, cielo. Vuélvete a dormir.

–¿Y cómo lo sabes, mamá? –duda Bebé Osito–.

No podré dormir hasta saber qué es ese ruido.

—En tal caso, salgamos todos a cazar monstruos esta noche
—propone valiente Papá Oso, y alumbra con el candil el bosque.

—No hay nada que temer ahí fuera, hijo. Tú mismo lo verás.
Nada puede asustar a un oso, caramba. Haz caso a tu papá.

Así que **cinco** osos caminando van entre árboles y setos
hasta que Mamá Osa oye un ruido.
—¡Todos quietos! —grita—.
¿Qué es eso?

¿Acaso será un monstruo? Todos tiemblan de miedo.
Y de repente, ZAS, aparece trotando un **ciervo**.

–¿Te das cuenta, Bebé Osito? No hay nada que temer ahí fuera.
Ningún monstruo puede asustar a un oso, caramba.
¡Más quisiera!

–¡Así de valientes somos! –corean y avanzan,
sin fijarse que Mamá Osa se ha enredado en las...

... ¡ramas!

Así que ahora **cuatro** osos caminando van por el bosque.

–¡Allí, a la derecha! ¿Lo oís? ¡Un chapoteo en plena noche!

–exclama Blas cruzando un tronco por el que casi se resbala.

Y de repente, PLAS, del agua aparece saltando una **rana**.

–¿Te das cuenta, Bebé Osito? No hay nada que temer ahí fuera.
Ningún monstruo puede asustar a un oso, caramba.
¡Más quisiera!

–¡Adelante, sigamos! –añade Papá Oso–. No tengáis miedo.
Pero ninguno ve que el pobre Blas se ha caído al...

... ¡riachuelo!

Así que ahora **tres** osos caminando van al pantano.

—¿Habéis sentido eso? —señala Ana—. ¡Creo que algo me ha rozado!

«¡Oh, no!», se dice Bebé Osito. «Quizá sea el monstruo de nuevo».

Y de repente, ZAS, de la nada aparece volando un **cuervo**.

–¿Te das cuenta, Bebé Osito? No hay nada que temer ahí fuera.
Ningún monstruo puede asustar a un oso, caramba. ¡Más quisiera!

Entre charcos y chapoteos, Papá Oso avanza con aplomo,
sin advertir que la pobre Ana se ha atascado en el denso...

... ¡lodo!

Así que **dos** osos caminan medio dormidos
sin saber que su familia ha desaparecido.
La luz del candil decae y lanza un parpadeo.
–Volvamos a casa, papá. ¡Tengo mucho **miedo**!

–De acuerdo, Bebé Osito. Ya es hora de dormir.
Y, como ya te dije, ¡no hay monstruos por aquí!
Nada puede asustar a un oso, ¡es algo indudable!
–dice justo al girarse y ver que detrás…

... ¡no hay nadie!

–¿Dónde se habrán metido? –se sorprende Papá Oso–.
¡Pero si estaban justo aquí, detrás de nosotros!
Quizá les entró sueño y se han ido a descansar.
¡O quizá ha sido el monstruo, que los logró atrapar!

De pronto, aterradora, una **sombra** se perfila.
–¡Oh, no! ¡Por mis zarpas! ¡Es peor de lo que creía!
Rápido, corre, Bebé Osito. ¿Es que no lo ves?
No hay un solo monstruo aquí, creo que ahora hay...

... ¡tres!

–Qué aspecto tan feroz, qué mirada tremebunda.
¡Unos monstruos así ponen los pelos de punta!

Papá Oso tiene miedo,
le va a dar un patatús.
Y entonces el más grande
de los tres suelta:

—¡Bu!

Papá Oso tiembla, suda
y se chupa el pulgar
cuando Bebé Osito exclama:
—¡Pero si es mamá!

—Ay, tontuelos, no os dejéis engañar por los ojos.
No hay por qué tener miedo, ¡solo somos nosotros!
—Tienes razón, Mamá Osa, fui un tonto colosal.
Por un segundo pensé que erais monstruos de verdad.

Así que **cinco** osos caminando van a casa a descansar.

–Tranquilos –sonríe Papá Oso–. No nos separaremos más.

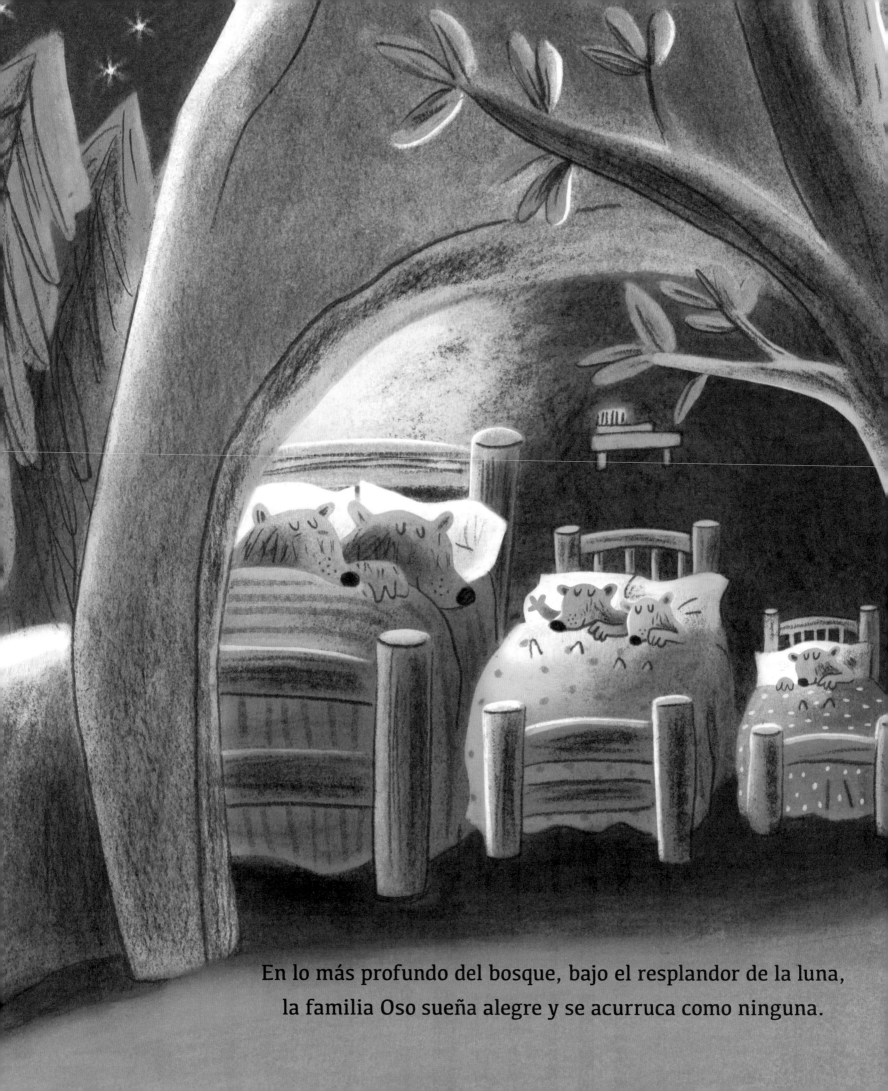

En lo más profundo del bosque, bajo el resplandor de la luna,
la familia Oso sueña alegre y se acurruca como ninguna.

Hasta que, de repente, los osos confundidos
se miran al escuchar un extraño...

... ¡gruñido!

–¡Es el monstruo, seguro! –se agita Bebé Osito.
–¡Pero si has sido tú! –contestan sus hermanitos.
–No fue ningún monstruo antes el que hizo tanto ruido,
sino tú mismo al despertarte con tu propio...

... ¡ronquido!